D1128479

Querido Eduard,
¡Te quiero!
MMij

Título original: *Ik zie, ik zie*
Texto de Pimm van Hest / Ilustraciones de Nynke Talsma
Edición original publicada en Bélgica y Holanda en 2014 por Clavis Uitgeverij, Hasselt-Amsterdam-New York.

Traducción del flamenco: Marta Arguilé Bernal
Primera edición en castellano para todo el mundo, mayo 2016

www.tramuntanaeditorial.com

ISBN: 978-84-16578-12-2
Depósito legal: GI 124-2016 – Impreso en China

Veo, veo

Pimm van Hest & Nynke Talsma

Tramuntana

–¡Necesitas gafas!

Eduardo se encoge y se acerca más a su madre.
—A tus ojos les cuesta un poquito ver bien las cosas, pero con unas gafas volverás a tener la vista de un halcón–.
El médico arruga la nariz, lo mira con ojos acechantes y extiende los brazos como si fueran alas.

Eduardo se siente como un ratoncito
a punto de ser devorado.
Al abrir la boca solo le sale un gemido
agudo. Pobre Eduardo.
Los ojos se le llenan de lágrimas
y de pronto ya no ve bien al médico.
Y casi que mejor así.

Esa noche Eduardo sueña que es un ratoncito.

Con gafas.

A ver… que el señor Topo lleve gafas es normal.
Nadie se extraña.
O la vieja señora Gata, que tiene cien años por lo menos.
Todo el mundo lo entiende.
¿Pero un ratoncito joven con gafas?
Seguro que todos se ríen de él.

Cuando se despierta por la mañana,
se siente aún más desanimado que el día anterior.
–No quiero llevar gafas–,
se dice a sí mismo en voz alta,
pero mientras se lava los dientes
ve en el espejo un par de ojitos tristes
que necesitan unas gafas.

Esa misma tarde Eduardo
va con sus padres a la óptica.
–¿Qué clase de gafas te gustan?
–le pregunta una señora muy simpática.
Eduardo mira al suelo con timidez
y dice muy flojito:
–¿No tendrá unas gafas invisibles?–
Papá y mamá se echan a reír,
pero la señora no se ríe.

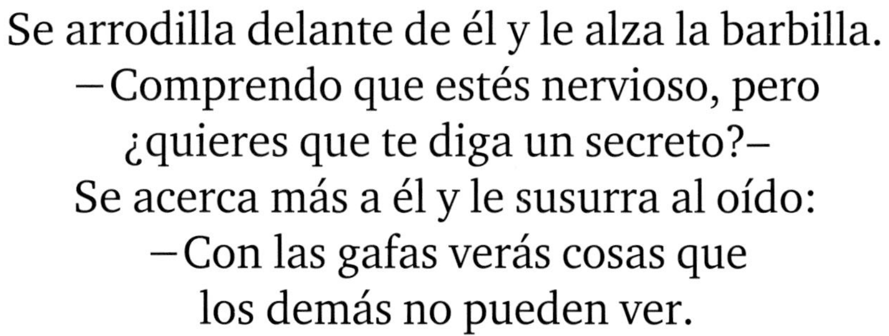

Se arrodilla delante de él y le alza la barbilla.
—Comprendo que estés nervioso, pero
¿quieres que te diga un secreto?–
Se acerca más a él y le susurra al oído:
—Con las gafas verás cosas que
los demás no pueden ver.

Cosas fabulosas.

Ya lo verás–.

Después de una semana de espera,
llega por fin el gran día.

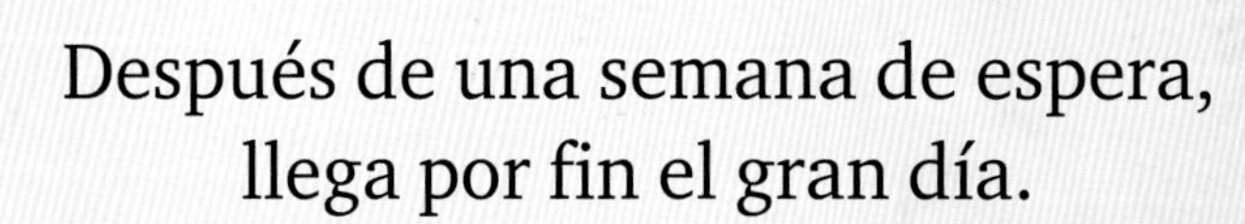

Eduardo aún está un poco nervioso,
pero también siente curiosidad.
—¿Preparado para el gran momento?—
le pregunta la simpática señora de la óptica.
Eduardo asiente con la cabeza y cierra los ojos.
Ella se sitúa frente a él y con mucho cuidado
le desliza las gafas sobre la nariz.

Él abre los ojos muy despacito.
Secretamente había esperado ver fuegos artificiales
y vivos colores,
y, ¡ohhh!
y, ¡bum, bum!
Pero no sucede nada de eso.
Es como si todo siguiese igual.

Sin embargo…

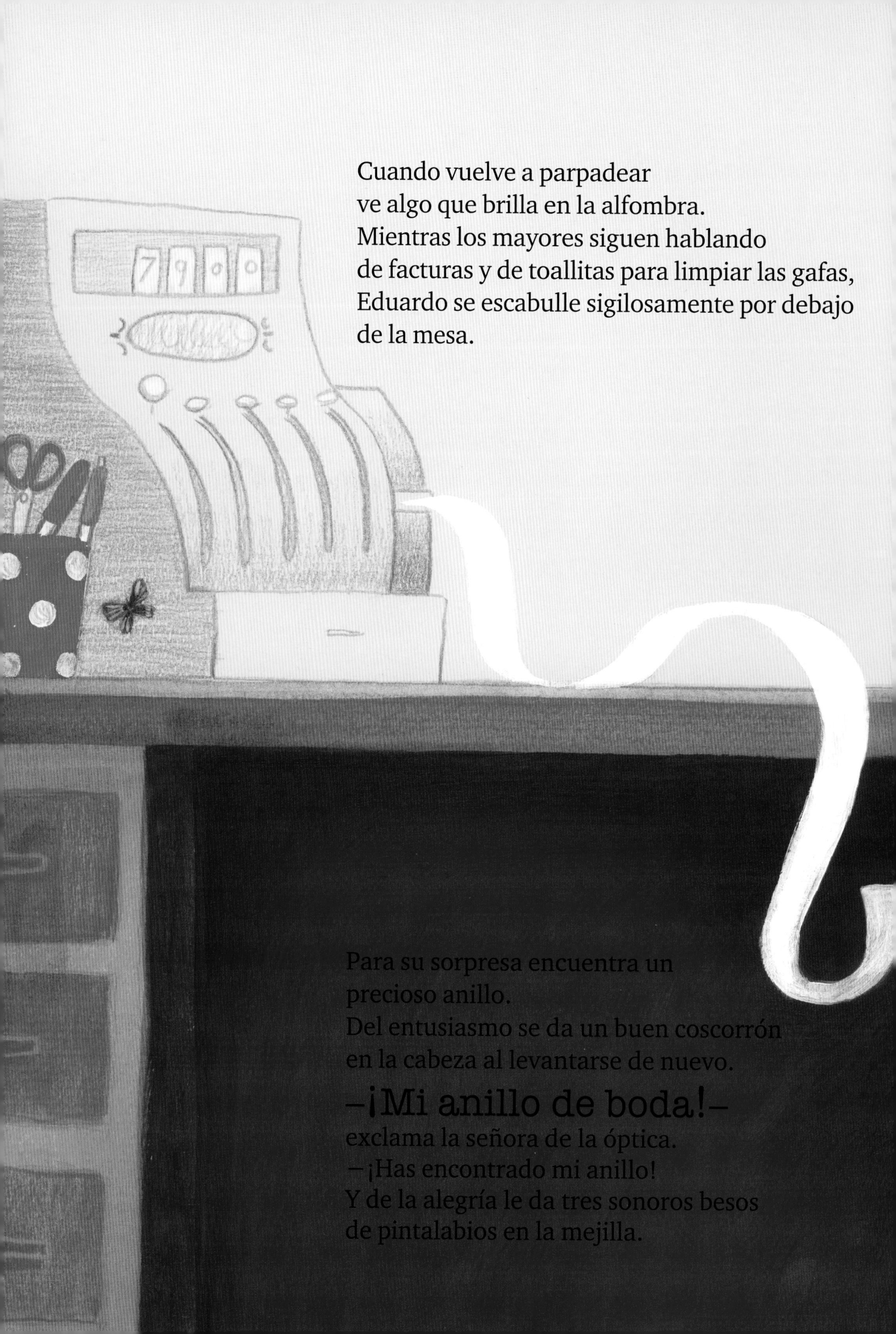

Cuando vuelve a parpadear
ve algo que brilla en la alfombra.
Mientras los mayores siguen hablando
de facturas y de toallitas para limpiar las gafas,
Eduardo se escabulle sigilosamente por debajo
de la mesa.

Para su sorpresa encuentra un
precioso anillo.
Del entusiasmo se da un buen coscorrón
en la cabeza al levantarse de nuevo.

–¡Mi anillo de boda!–
exclama la señora de la óptica.
–¡Has encontrado mi anillo!
Y de la alegría le da tres sonoros besos
de pintalabios en la mejilla.

Eduardo se pone colorado, sonríe… y

vuelve a ponerse bien las gafas.

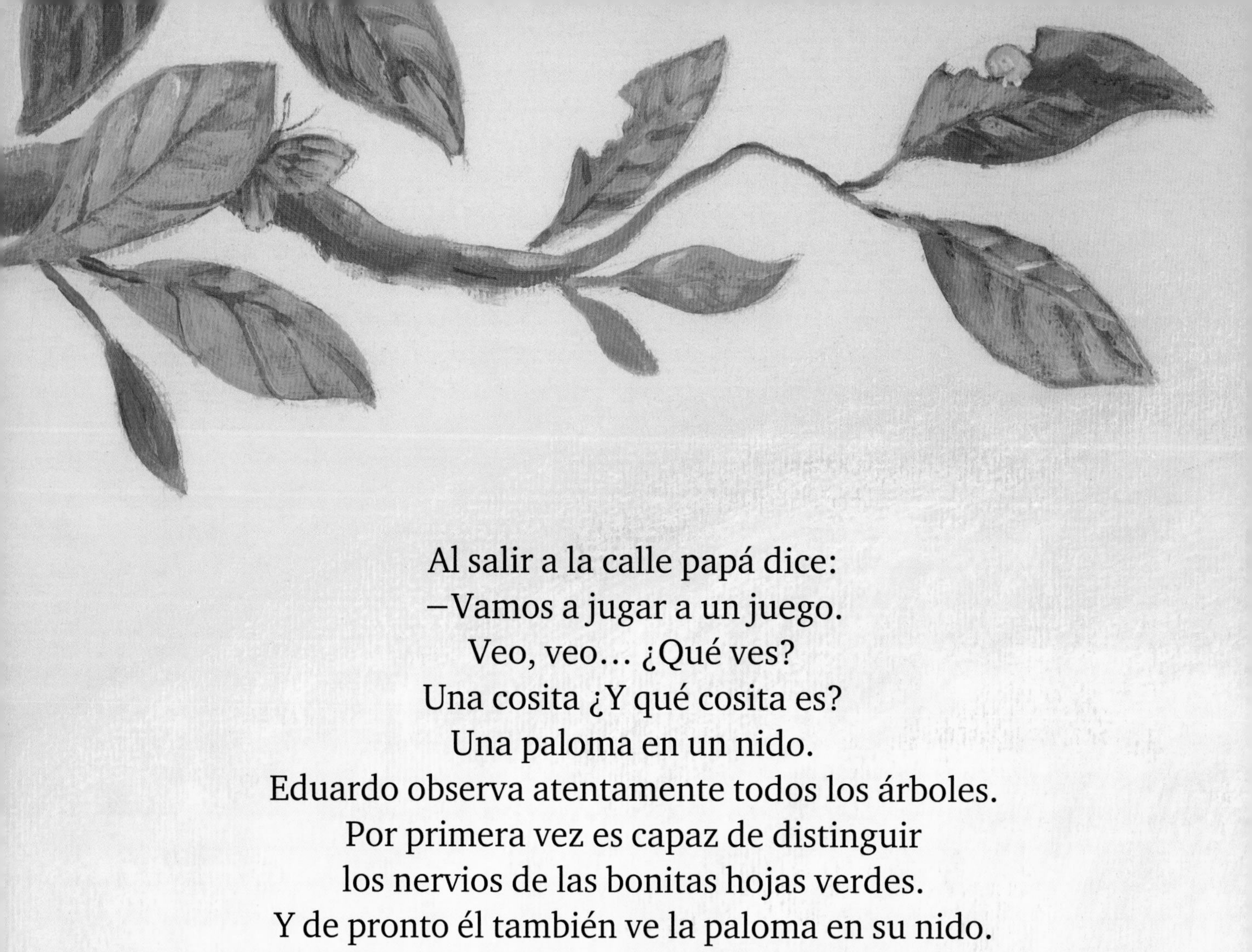

Al salir a la calle papá dice:
—Vamos a jugar a un juego.
Veo, veo… ¿Qué ves?
Una cosita ¿Y qué cosita es?
Una paloma en un nido.
Eduardo observa atentamente todos los árboles.
Por primera vez es capaz de distinguir
los nervios de las bonitas hojas verdes.
Y de pronto él también ve la paloma en su nido.

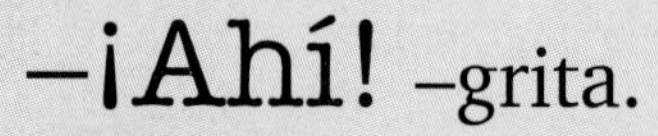

–¡Ahí! –grita.
–En lo alto de ese árbol–.
Eduardo está radiante de felicidad.
–Ahora me toca a mí –exclama.
–Veo, veo… ¿Qué ves?
Una cosita ¿Y qué cosita es?
Un cartel que pone rebajas–.
Papá y mamá escrutan todos los escaparates, pero no lo encuentran.

–¡Allí! –señala Eduardo con el dedo.
–¡Vaya, cariño, pero yo no alcanzo
a leerlo desde tan lejos! –contesta papá
un poco desconcertado.
–¿Quieres que te deje mis gafas?–
Los tres se echan a reír a la vez.

Por la noche, antes de irse a dormir,
papá y mamá se meten un ratito en la cama de Eduardo.
Papá ha traído de la estantería una pila de libros
de imágenes para jugar a buscar.
No son los favoritos de Eduardo.
No es divertido si nunca puedes encontrar nada.

Hasta hoy,
el día de las gafas.

–¡Mira, papá!
Ahí hay un globo amarillo,
que se eleva entre las ramas de los árboles.
Y allí y allí y allí.
Y mira, mamá ahí va un ratoncito con cola,
y más allá vuela un moscardón con un sombrero de fiesta–.
Eduardo nunca había visto tantas cosas
y nunca se lo había pasado tan bien.
Se va a dormir con una sonrisa en los labios.

Eduardo se despierta en mitad de la noche.
Se da la vuelta y de pronto ve algo
en un rincón de su habitación.

¿Un monstruo?

Rápidamente se tapa la cabeza con la manta.
El corazón le late desbocado.
¿Qué puede hacer?

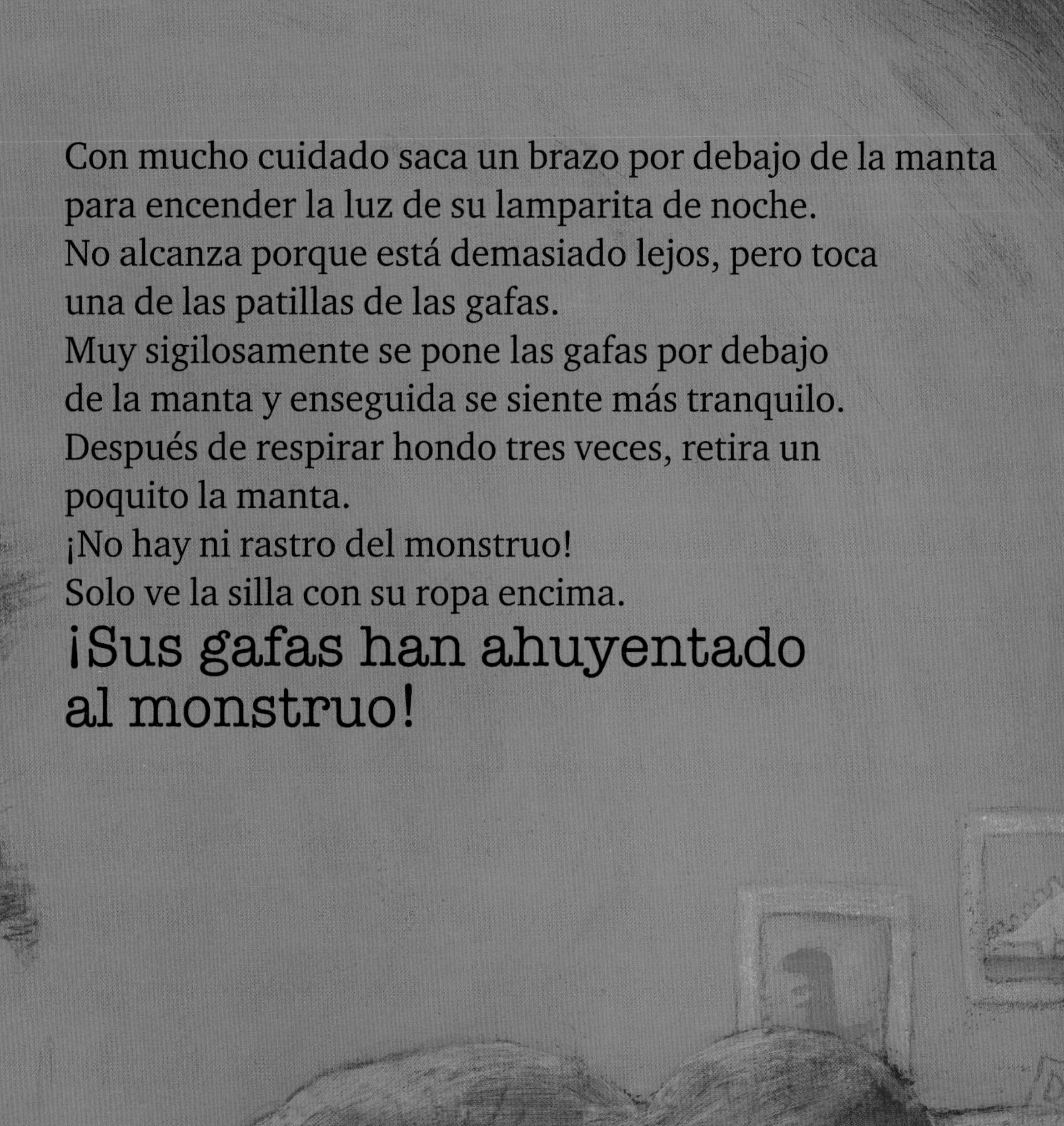

Con mucho cuidado saca un brazo por debajo de la manta
para encender la luz de su lamparita de noche.
No alcanza porque está demasiado lejos, pero toca
una de las patillas de las gafas.
Muy sigilosamente se pone las gafas por debajo
de la manta y enseguida se siente más tranquilo.
Después de respirar hondo tres veces, retira un
poquito la manta.
¡No hay ni rastro del monstruo!
Solo ve la silla con su ropa encima.

¡Sus gafas han ahuyentado al monstruo!

A la mañana siguiente, mientras Eduardo
va andando al colegio, tiene la sensación
de que el mundo ha cambiado.
De pronto ve un montón de cosas en las
que jamás se había fijado antes.
Una baldosa del suelo torcida, la hora en
el reloj de la iglesia y hasta hormiguitas
que lo acompañan al colegio.
Es increíble.
Juega a ver cuánto tiempo es capaz
de seguir el vuelo de una mariquita,
pero al final acaba perdiéndola de vista.

¡Y qué ven ahora sus ojos!

Ya no son las mismas nubes blancas y aburridas de siempre.
Ahora son caballeros que galopan perseguidos
por un dragón que escupe fuego por la boca.
Y un poco más allá ve su nombre escrito en las nubes.
Y ya cerca del colegio ve un ratoncito sonriente
con unas gafas sobre el hocico.

Más tarde, mientras Linda está
escribiendo en su libreta, Eduardo
la mira disimuladamente.
Qué pecas tan graciosas tiene en las mejillas.
Nunca las había visto hasta ahora.
Tampoco se había fijado
en su naricilla respingona.
Siente un cosquilleo en la barriga.

En la clase Eduardo ya no tiene
que sentarse solo en la primera fila.
El maestro le deja sentarse
junto a Linda.
-Qué gafas más bonitas llevas
-es lo primero que le dice Linda.
-G-g-g-gracias -tartamudea Eduardo
por culpa de los nervios.

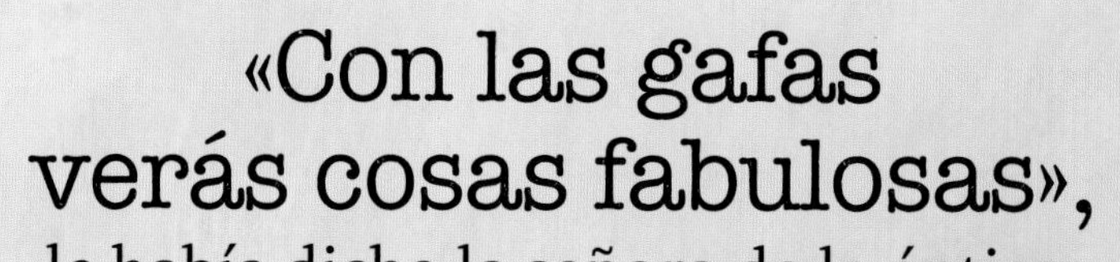

«Con las gafas
verás cosas fabulosas»,
le había dicho la señora de la óptica.
¡Y tenía toda la razón!
Y encima Linda le ha hecho un cumplido.
Eduardo se siente como si hubiera
crecido un metro en un solo día.

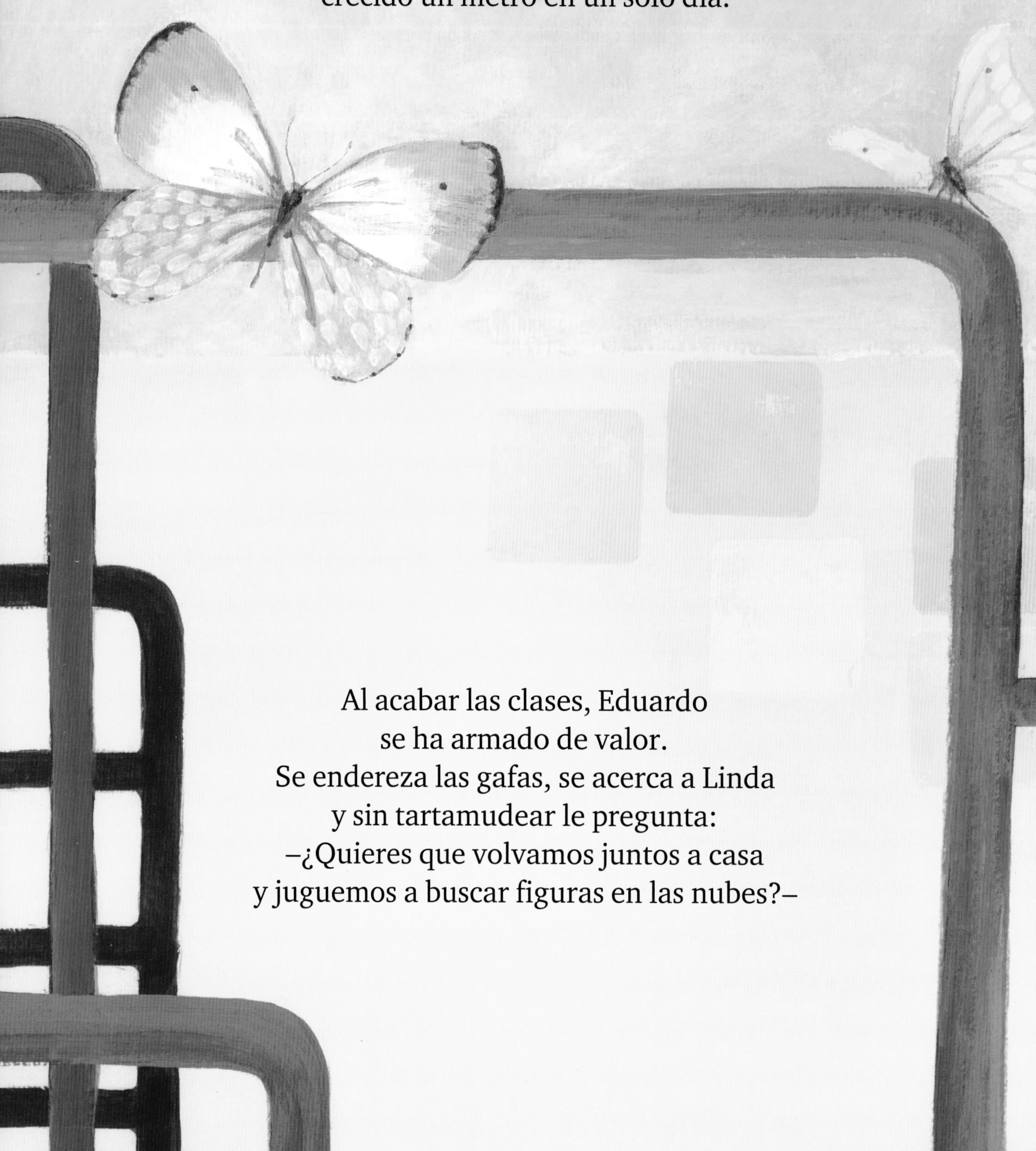

Al acabar las clases, Eduardo
se ha armado de valor.
Se endereza las gafas, se acerca a Linda
y sin tartamudear le pregunta:
–¿Quieres que volvamos juntos a casa
y juguemos a buscar figuras en las nubes?–

–¡Me encantaría! –dice Linda.

–Veo un gigante
que tropieza con la raíz de un árbol–.
—Sí, yo lo veo también–.

—Y ahí hay un volcán en erupción.
Y una montaña rusa que se pone boca abajo–.

Ven un montón de cosas y se lo pasan muy bien.
—Veo a una niña que le da un beso
a un niño que le gusta mucho.

—Oh —dice Eduardo—, pues yo no los veo.
Observa fijamente las nubes,
pero por mucho que se esfuerza
no consigue encontrarlos.
—Tal vez estás buscando en el lugar
equivocado —le dice Linda,
y cuando Eduardo vuelve la cabeza para mirarla,
ella le da un besito en la mejilla
y él se pone colorado.

A partir de ese día Linda es su novia.

Ya veis todo
lo que unas gafas
pueden conseguir…